123 SESAME STREET®

ELMO CHEZ LE DENTISTE

Par P.J. Shaw
Illustré par Tom Brannon

Sesame Workshop MD, Sesame Street MD, tous les personnages et éléments graphiques qui y sont associés sont des marques de commerce et la propriété de Sesame Workshop. ©2008 Sesame Workshop. Tous droits réservés.

Publié par Presses Aventure, une division de Les Publications Modus Vivendi Inc. — 55, rue Jean-Talon Ouest, 2ᵉ étage — Montréal (Québec) — Canada H2R 2W8

Paru sous le titre anglais : *Elmo Visits the Dentist*

Dépôt légal : Bibliothèque et Archives nationales du Québec, 2008
Dépôt légal : Bibliothèque et Archives Canada, 2008
Traduit de l'anglais par : Catherine Girard-Audet

ISBN 13 : 978-2-89543-846-5

Nous reconnaissons l'aide financière du gouvernement du Canada par l'entremise du Programme d'aide au développement de l'industrie de l'édition (PADIÉ) pour nos activités d'édition.

Gouvernement du Québec — Programme de crédit d'impôt pour l'édition de livres — Gestion SODEC.

Imprimé en Chine.

« Haou ! ... haouuuuuu ! » hurle un jour le Grand méchant loup. « Je n'ai qu'une seule envie, et c'est de souffler, et de souffler et de *détruire quelque chose* ! »

Il se laisse lourdement tomber sur un banc en se frottant le menton.

« Que se passe-t-il, Grand méchant loup ? » demande l'un des trois petits cochons.

« J'ai mal aux dents ! » gémit le loup.

« Le dentiste aide Elmo à prendre soin de ses dents, dit Elmo. Elmo est presque sûr que le dentiste peut aussi soigner les dents du méchant loup. »

« Tu as raison, dit Abby Cadabby. Ma tante dit qu'il n'y a rien de tel qu'une visite chez le dentiste pour se sentir mieux, et comme *elle* est la fée des dents, elle est bien placée pour le savoir ! »

« Attendez ! Elmo a une idée, dit Elmo. Abby peut faire de la magie ! Elle peut faire disparaître un mal de dent en agitant sa baguette magique. »

« Je ne peux pas faire *disparaître* un mal de dent, Elmo, dit Abby. Je peux seulement transformer les objets en citrouilles. Tu vois ? » Elle brandit ensuite sa baguette magique en direction d'un ballon de soccer : « *Brouille, nouille, abracadabrouille, quenouille, rouille, CITROUILLE !!!* »

Grand méchant loup sursaute lorsque le ballon se transforme en citrouille.

« Elmo a raison, dit-il. J'ai besoin d'un dentiste, pas de magie. »

« Elmo accompagnera Grand méchant loup chez le dentiste lorsqu'il voudra y aller », lui dit Elmo.

Le jour suivant, Grand méchant loup, Elmo et la maman d'Elmo vont visiter le Dr Bradley. Dans la salle d'attente, Elmo aperçoit des livres d'images, des jouets et même un aquarium !

« Haou ! Ha ha haou ! » hurle sporadiquement le méchant loup.

Son mal de dent ne s'est que légèrement empiré, mais il est un loup et il ne peut s'empêcher de hurler.

« Le dentiste soignera ta dent », lui dit gentiment la maman d'Elmo.

« Grand méchant loup ! » appelle mademoiselle Stella, l'assistante dentaire.

Le méchant loup gémit. Elmo s'inquiète au sujet de son ami.

« Nous prendrons grand soin de lui, dit mademoiselle Stella à Elmo. Mais pourquoi ne te joins-tu pas à nous pour lui tenir compagnie ? »

« Bonne idée ! répond Elmo. Elmo est impatient de voir comment le dentiste soignera les dents du *loup* ! »

Mademoiselle Stella sourit. « Nous soignons les dents du méchant loup de la même façon que nous soignons les dents du petit monstre rouge. »

« Elmo, faisons semblant que *tu* viens te faire nettoyer les dents pour que le méchant loup se familiarise avec la procédure, dit mademoiselle Stella. Grimpe sur la chaise du dentiste et je te ferai monter dans les airs. »

« Ooooh, Elmo flotte dans les airs », dit Elmo tandis que la chaise s'élève len-te-ment.

« C'est maintenant ton tour, méchant loup », dit mademoiselle Stella.

« Est-ce que le méchant loup portera une bavette ? » demande Elmo en se rappelant sa dernière visite.

« Une bavette ? Une bavette pour les bébés ?! aboie le loup. De quoi parles-tu ? Je suis bien trop GRAND pour cela ! Même mon nom le dit. »

Elmo se met à rire. « Ne sois pas bête ! La bavette empêche le méchant loup de se salir lorsque mademoiselle Stella nettoie ses dents. »

« Et je porte un masque et des gants pour protéger les petits monstres — et les grands méchants loups — contre les germes », ajoute mademoiselle Stella.

Grand méchant loup s'étend sur la chaise, puis mademoiselle Stella brandit une lumière près de sa bouche.

« Il fait plutôt sombre là-dedans », dit Elmo.

« Nom d'une molaire ! plaisante mademoiselle Stella. Comme tu as de grandes dents ! Je dois maintenant faire des radiographies, c'est-à-dire de petites photos de tes dents, ajoute-t-elle sérieusement. Je brosserai ensuite tes dents pour enlever toutes les saletés. »

« *Saletés ?* s'exclame Elmo. Comme celles qui se trouvent dans la poubelle d'Oscar ?!? *Beurk !* »

« Je parle de toutes les choses qui contiennent du sucre et qui risquent de donner des caries, c'est-à-dire de petits trous dans les dents. Ce ne sont pas vraiment des saletés », rigole mademoiselle Stella.

« Che m'en houtais », marmonne Grand méchant loup. (C'est ce qu'on entend si tu dis : « Je m'en doutais », avec la bouche grande ouverte.)

« Choisissons un délicieux dentifrice, dit mademoiselle Stella. Quelle saveu préfères-tu, Grand méchant loup : cannelle, menthe ou gomme à bulles ? »

« Hom à hules ! » babille le loup, qui a la bouche encore ouverte.

« Je mettrai le dentifrice sur cette petite brosse, puis je chatouillerai tes dents », explique mademoiselle Stella.

« Une brosse à dents qui chatouille les dents. Une brosse à dents qui chatouille les dents ! chante Elmo. Le simple fait de le *dire* donne des chatouilles à Elmo ! »

« Sens la brosse sur ta patte, elle est très douce, dit mademoiselle Stella. Je vais nettoyer entre tes dents avec une mince ficelle qu'on appelle de la soie dentaire. Je rincerai ensuite ta bouche avec un petit instrument qui fait jaillir de l'eau, et enfin, j'examinerai ta langue et tes gencives. »

« Oh là là, dit Elmo. Vous mettez les bouchées doubles ! »

Le dentiste, Dr Bradley, pénètre alors dans la pièce. Il tapote doucement la tête hirsute de Grand méchant loup. « Je vais tout de suite soigner cette dent, dit-il joyeusement. Dis donc, Elmo, tu sais pourquoi les trois petits cochons ont pris un rendez-vous chez le dentiste ? »

« Non. » Elmo secoue la tête.

« Parce qu'il paraît que le méchant loup a une dent contre eux ! » rigole le Dr Bradley.

« Wouf ! Wouf ! Wouf ! Wouf ! » s'esclaffe le méchant loup.

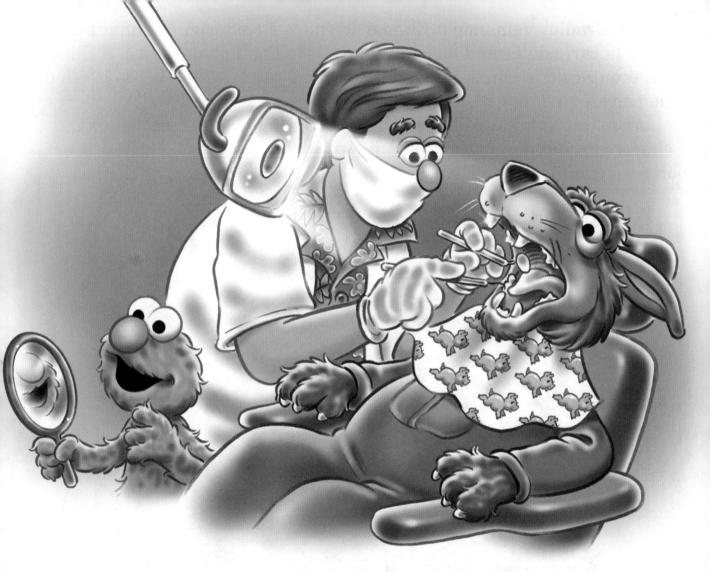

« Je me souviens de ton premier examen dentaire, Elmo, dit le Dr Bradley. Tu étais très petit. Vous savez, nous examinons parfois de tout petits bébés. Mais je dois dire que c'est la première fois que nous avons affaire à un *loup* », murmure-t-il.

« Ché ma prehiere fois auchi », marmonne le méchant loup. C'est-à-dire : « C'est ma première fois aussi. »

« Comme tu as de grandes oreilles », rigole le Dr Bradley.

Le Dr Bradley demande à Elmo d'attendre à l'extérieur pendant qu'il répare la carie du Grand méchant loup. « Ne t'en fais pas, dit-il à Elmo. Je ferai écouter de la bonne musique à ton ami pendant que je répare sa dent. Que penses-tu de… *Cœur de loup* ? »

Lorsqu'il a terminé, le Dr Bradley invite Elmo à se joindre à eux. Le méchant loup lui montre alors fièrement son nouveau plombage.

« Méchant loup, je ne sais pas ce que tu as mangé, lui dit gentiment le Dr Bradley, mais ça t'a donné une carie. »

Grand méchant loup a l'air penaud.

« À partir de maintenant, je te conseille donc de manger de bons aliments santé tels que des céréales, des fruits et des légumes. »

« Grand méchant loup et Elmo adorent les bananes ! » dit Elmo.

« J'ai terminé, Grand méchant loup, dit le Dr Bradley. Ce plombage fera cesser la douleur. »

« Et ensuite, docteur Bradley ? » demande Elmo.

« Nous allons prendre un rendez-vous pour que le méchant loup revienne faire examiner ses dents. De cette façon, nous pourrons prévenir les caries, et Grand méchant loup pourra vivre heureux jusqu'à la fin des temps. »

« Merci, docteur Bradley », dit Elmo.

« Merci beaucouuuup ! » hurle bruyamment le loup.

Elmo soupire. « Elmo aimerait que le méchant loup cesse de hurler ainsi. »

« Voici de nouvelles brosses à dents que vous utiliserez à la maison, dit mademoiselle Stella. Vous pouvez aussi choisir un cadeau dans le coffre aux trésors. »

Elmo choisit un ver frétillant en caoutchouc pour son poisson rouge, Dorothée, tandis que Grand méchant loup choisit un service à thé pour le Petit Chaperon rouge.

« Je ne suis pas méchant tout le temps », dit-il à la maman d'Elmo.

« N'oubliez pas de bien vous brosser les dents matin *et* soir tout en récitant deux fois l'alphabet », dit mademoiselle Stella.

« Elmo et Grand méchant loup vous le promettent, dit Elmo. Au revoir ! »

Le jour suivant, Grand méchant loup montre ses crocs à tous ses amis.

« Comme tu as de grandes dents blanches », dit Zoé.

« C'est pour mieux MANGER DES POMMES, mon enfant ! » répond le méchant loup en apercevant les trois petits cochons gambader près de lui.

« Attention ! s'écrient-ils joyeusement. Il veut s'emparer de nos pommes ! »

Puis ils partent à toute vitesse en s'écriant « oui, oui, oui » jusqu'à la maison.